THE HARE AND THE TORTOISE
and
THE TORTOISE AND THE HARE

LA LIEBRE Y LA TORTUGA
y
LA TORTUGA Y LA LIEBRE

THE HARE AND THE TORTOISE & THE TORTOISE AND THE HARE

LA LIEBRE Y LA TORTUGA & LA TORTUGA Y LA LIEBRE

WILLIAM PÈNE DU BOIS and LEE PO
Illustrated by WILLIAM PÈNE DU BOIS

WILLIAM PÈNE DU BOIS y LEE PO
Ilustrado por WILLIAM PÈNE DU BOIS

DOUBLEDAY & COMPANY, INC.   GARDEN CITY, NEW YORK

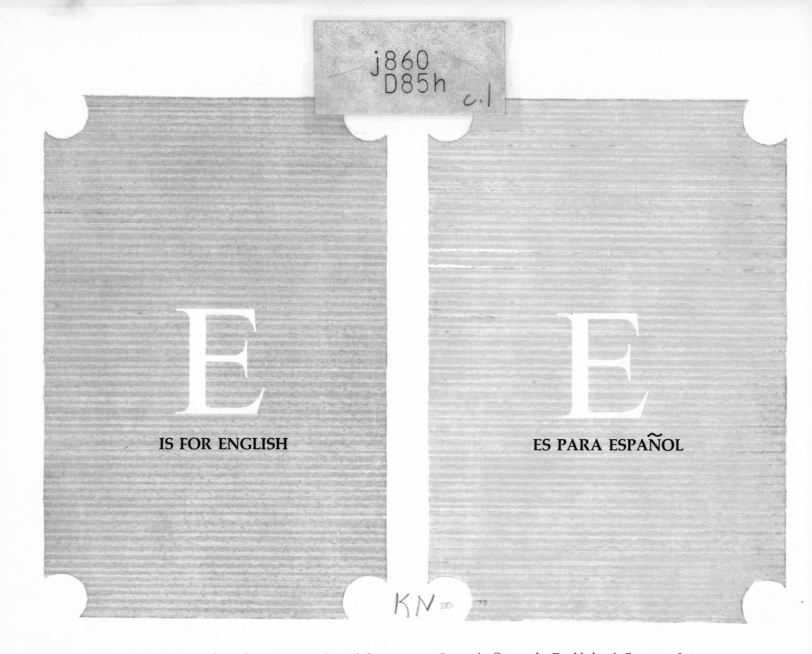

E

IS FOR ENGLISH

E

ES PARA ESPAÑOL

Library of Congress Catalog Card Number 77–146125. Spanish-language text Copyright © 1972 by Doubleday & Company, Inc.
English-language text, THE TORTOISE AND THE HARE, Copyright © 1972 by Lee Po. English-language text, THE HARE AND THE
TORTOISE, and illustrations for book, Copyright © 1972 by William Pène du Bois. All Rights Reserved.
Printed in the United States of America. First Edition.

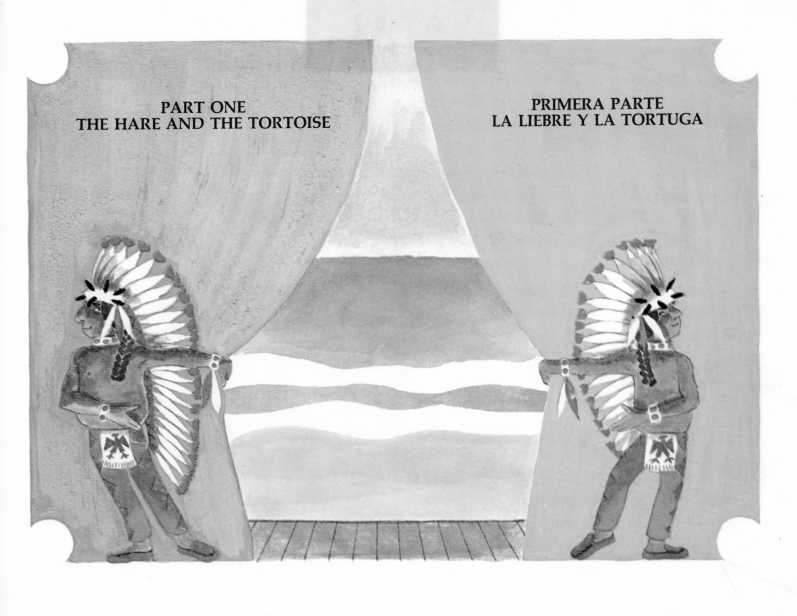

PART ONE
THE HARE AND THE TORTOISE

PRIMERA PARTE
LA LIEBRE Y LA TORTUGA

The tortoise waddled out of the sea and up on the beach, making a long furrow with footprints on either side. She stopped to catch her breath and heard a roar of impolite laughter. She slowly raised her heavy head and saw her friend, the hare, pointing at her, laughing and choking, and holding his face.

"What is so funny?" the tortoise asked.

"You're funny," said the hare.

"Why am I funny?" the tortoise asked proudly.

"Why?" said the hare, "I'll tell you why. It's a lovely day today, and I came down here on the beach looking for sport. I was thinking of running a foot race, and was looking for a speedy rival. Then I saw you waddle out of the sea. You're so slow, you're funny. That's all there is to it. That's all there is, there isn't any more. YOU ARE FUNNY."

La tortuga salió bamboleándose del mar y subió a la playa haciendo con sus huellas un largo surco a cada lado. Se detuvo a recobrar el aliento y oyó el ruido de una risa grosera. Lentamente levantó su pesada cabeza y vio a su amigo, la liebre, señalándola, ahogándose de la risa y con las manos en la cara.

—¿Qué hay de cómico? —preguntó la tortuga.

—Tú eres cómica —dijo la liebre.

—¿Por qué cómica? —preguntó la tortuga orgullosamente.

—¿Por qué? —dijo la liebre— te voy a decir por qué. Hoy hace un día encantador, así que vine a la playa buscando en que entretenerme. Pensaba correr una carrera y estaba buscando un rival que corriera a gran velocidad. Entonces te vi salir del mar bamboleándote. Tú eres tan lenta, que eres cómica. Eso es todo. Eso es todo y nada más. ERES CÓMICA.

"Oh, is that so," said the tortoise. "Well, I'll tell you something, my long-eared friend. I may not be good in sprint races, but in a long race I'm a really tough girl to beat."

The hare laughed louder than ever. "You're funny!" he shouted.

"I'll race you across the island, beach to beach," the tortoise said, "and save your laughter until one of us wins," she added. "May the better animal laugh!" she screamed. She was now angry.

The hare could hardly talk, he was laughing so much. "I'll give you a head start," he offered, "it's a mile from beach to beach. You start right now. I'll start tomorrow."

8

—Ah, con que es así—dijo la tortuga—bueno, voy a decirte una cosa, mi amigo orejudo. Tal vez yo no sea buena en carreras cortas a toda velocidad pero en una carrera de larga distancia soy una muchacha difícil de vencer.

La liebre se rió aún más fuerte.

—Eres cómica—gritó.

—Te juego una carrera de un extremo al otro de la isla, de playa a playa—dijo la tortuga—y guarda tu risa para cuando uno de los dos gane—añadió—. Que ría el mejor de los dos—gritó. Ahora estaba enojada.

La liebre casi no podía hablar de tanto teírse.

—Voy a darte una ventaja—dijo—hay una milla de playa a playa. Tú empiezas ahora mismo. Yo empezaré mañana.

"Now *you're* funny," said the tortoise. "We'll start here and now. We'll go straight up over Hog Hill, down into Echo Valley, up over Redskin Mountain, and down to the other beach. First one to dip toes in the sea on the other side wins."

"Wins what?" asked the hare greedily.

"Anything you say," said the tortoise.

"All right," said the hare who loved to eat and drink, "we'll make it a six-course dinner plus three desserts for two at The Bird & Bottle. Loser pays."

"It's a race," said the tortoise. They shook paws and squatted.

A nosy crab, who had been taking side glances at the tortoise and the hare, lined the two up and pronounced the words, "On your mark, get set, and GO!" and the race was underway.

—Ahora *tú* eres el cómico—dijo la tortuga—partiremos inmediatamente. Iremos directo hasta subir la Loma del Cerdo, bajaremos hasta el Valle del Eco, subiremos la Montaña Piel Roja, y bajaremos hasta la otra playa. El primero en mojarse las patas en el mar del otro lado gana.

—¿Qué gana?—preguntó la liebre vorazmente.

—Lo que tú digas—dijo la tortuga.

—Está bien—dijo la liebre a quien le agradaba comer y tomar—será una comida para dos de seis platos y tres postres, en "El Pájaro y la Botella." El perdedor paga.

—Apostado—dijo la tortuga.

Se estrecharon las patas y se pusieron en posición.

Un cangrejo curioso, que había estado mirando de lado a la tortuga y a la liebre, los puso a los dos en línea y pronunció las palabras. A sus marcas, listo y ¡YA!: la carrera había comenzado.

While the tortoise was still making tracks on the starting line, the hare ran so fast he made a blur of himself and disappeared from the beach. In a matter of seconds, he was atop Hog Hill, where an unusual sporting event of a different sort caught his eye. Some of the fattest hogs of Hog Hill were having a hog-calling contest. They were trying to find which one could shout OINK OINK the loudest. The big pigs performed on a raised platform in front of a squealing audience. Off to one side there was a table with a white tablecloth on top of which were the prizes. First prize was a silver garbage can full of garbage. Second prize was a silver swill bucket full of swill. Third prize was a rotten melon with a silver spoon. There was a judge atop a judge's stand.

Mientras la tortuga estaba mercando en la línea de partida, la liebre corrió tan rápido que se esfumó y desapareció de la playa.

En cuestión de segundos, estaba en la cima de la Loma del Cerdo, donde un acontecimiento deportivo de tipo muy diferente le llamó la atencion. Algunos de los cerdos más gordos de la Loma del Cerdo competían en un torneo. Trataban de saber cuál podía gruñir OINK OINK más alto. Los gordos cerdos hacían su demonstración sobre una plataforma elevada frente a una audiencia chillona. Hacia un lado había una mesa con un mantel blanco sobre el que estaban los premios. El primer premio era un tacho de basura de plata lleno de desperdicios. El segundo premio era un cubo de plata lleno de bazofia. El tercer premio era un melón podrido con una cuchara de plata.

Había un juez sabre una tarima. La liebre se

The hare became so amused with the contest he forgot his own race with the tortoise. He liked making fun of other creatures, and this contest seemed to be made just for him. He stood behind the pigs and insulted them all. When at last he remembered his own race, he was surprised to find that the tortoise had slowly but surely strolled up Hog Hill and beyond. The tortoise had not stopped to see the hog-calling contest, but had marched right on down into Echo Valley. The hare streaked past him, shouting, "FASTER!" which bounced off the mountainsides, "FASTER, faster, faster," fading into echo whispers.

The tortoise waddled onward.

entretuvo tanto con este torneo que se olvidó de su propia competencia con la tortuga. Le gustaba burlarse de otras criaturas y este concurso parecía estar hecho justamente para él.

Se puso detrás de los cerdos y los insultó a todos. Cuando al fin se acordó de su propio torneo, se sorprendió al descubrir que la tortuga había subido lenta pero seguramente la Loma del Cerdo y seguido más allá. La tortuga no se había detenido a ver el torneo de cerdos, sino que había marchado cuesta abajo hacia el Valle del Eco. La liebre la pasó velozmente, gritando: ¡MÁS RÁPIDO!—lo cual resonó a los lados de la montaña—"MÁS RÁPIDO, más rápido, más rápido," perdiéndose en susurros de eco.

La tortuga avanzaba bamboleándose.

Up on top of Redskin Mountain, another rare sight caught the hare's roving eye. The Indians needed rain for their farms and were performing rain dances. The hare watched for a while, then decided to shout a few rude remarks at them. "Idiots," he screamed, "if you think that by dressing like birds, hooting like owls, and hopping like bunny rabbits the Great Spirits will make rain come down, you must be sillier than you…" His speech was interrupted by thunderclaps as loud as bomb bursts. The sky turned heavy gray and water came down in cascades. The hare left the dances and returned to his road race.

En la cima de la Montaña Piel Roja, el ojo errante de la liebre vio otra escena rara. Los indios necesitaban lluvia para sus fincas y estaban ejecutando danzas de la lluvia. La liebre observó por un rato, y después decidió gritarles unos cuantos comentarios descorteses.—Idiotas—les gritó—si ustedes creen que vistiéndose como pájaros, gritando como búhos y saltando como conejitos el Gran Espiritu hará que llueva, deben ser más tontos que…El discurso fue interrumpido por truenos tan ruidosos que parecían explosiones de bombas. El cielo se volvió gris oscuro y empezó a caer el agua a torrentes. La liebre dejó las danzas y regresó a su carrera.

The hare didn't like getting his furry feet wet, so he hopped between the puddles as much as possible. This slowed him down quite a bit.

The tortoise had been moving ever onward, stopping for nothing, not even Indian rain dances. She was at the top of Redskin Mountain when the rains came. To one side of the road, there was a gutter down which the rain water ran in a tiny but swelling torrent. The tortoise wasn't afraid of getting her feet wet. She jumped in the gutter and the heavy rain water rushed her down the mountainside with enormous speed, sent her skimming across the beach and right into the sea on the other side of the island. She looked

A la liebre no le gustaba mojarse sus peludas paticas, así que saltaba entre los charcos lo más que podía. Esto lo retardó bastante.

La tortuga había seguido avanzando, sin detenerse para nada, ni siquiera para la danza india de la lluvia. Estaba en la cima de la Montaña Piel Roja cuando comenzó a llover. A un lado del camino, había una zanja por la que corría el ague de lluvia en pequeño pero creciente torrente. La tortuga no tenía miedo de mojarse a las patas. Saltó a la zanja y el agua la empujó cuesta abajo con enorme velocidad, deslizándolo a lo largo de la playa y derecho a mar del otro lado de la isla. Miró la playa bus-

19

around the beach for the hare. She couldn't find him. She looked up the road leading to the beach, and saw the hare approaching carefully, hopping between puddles and singing a silly song.

The hare hadn't seen the tortoise streak past him in the gutter.

"FASTER, faster, faster," the tortoise shouted, imitating the hare in Echo Valley. "FASTER, faster, faster," she shouted again.

The hare looked at the tortoise and saw her standing there, ankle-deep in sea water, just over the finish line.

cando a la liebre. No pudo encontrarla. Miró hacia el camino que llevaba a la playa y vio a la liebre que se acercaba cuiadosamente, saltando entre los charcos y cantando una canción tonta.

La liebre no había visto a la tortuga pasarle a gran velocidad por la zanja.

—¡MÁS RÁPIDO, más rápido, más rápido!— le gritó la tortuga, imitando a la liebre en el Valle del Eco. ¡MÁS RÁPIDO, más rápido, más rápido!—gritó de nuevo.

La liebre miró a la tortuga y la vio parada allí, con los tobillos metidos en el mar, justamente por sobre la línea de llegada.

"I want my six-course dinner plus three desserts for two at The Bird & Bottle," the tortoise yelled.

The hare couldn't believe his eyes. His eyes believed what they saw, though, and they filled with tears. The hare, acting exactly like the crybaby-bully he was, flung himself on the beach and started pounding the sand.

"What took you so long?" the tortoise asked quietly.

—Quiero mi comida de seis platos y tres postres para dos en "En Pájaro y la Botella"— gritó la tortuga.

La liebre no podía creer lo que veían sus ojos. Sin embargo, sus ojos creyeron lo que vieron, y se llenaron de lágrimas. La liebre, actuando exactamente como el niño llorón y fanfarrón que era, se tiró en la playa y empezó a golpear en la arena.

—¿Por qué te demoraste tanto?—preguntó la tortuga tranquilamente.

PART TWO
THE TORTOISE AND THE HARE

SEGUNDA PARTE
LA TORTUGA Y LA LIEBRE

STORY BY LEE PO
ILLUSTRATED BY WILLIAM PÈNE DU BOIS

CUENTA POR LEE PO
ILUSTRADO POR WILLIAM PÈNE DU BOIS

Early one morning, Her Majesty, Queen of all Fish, slipped away from her Palace for a swim, all by herself. Returning later, she saw a fat worm dancing happily at the gate to her Palace. Too greedy to be prudent, Her Majesty gulped the tender morsel and found herself caught fast by a fishhook, at the end of a line. With her lip in irons, she couldn't even shout for help.

Luckily a smell of Royal Blood reached the Guardhouse. Her Majesty's Swift Guards dived to her rescue, cut the line just in time to save the Queen from a dinner table up above. But alas, skilled as they were, they couldn't remove the hook from the Queen's lip.

Una mañana temprano, Su Majestad, la Reina de todos los Peces, se escapó de su palacio a nadar completamente sola. Más tarde, al regresar, vio a un gusano gordo bailando alegremente en la puerto de su palacio. Demasiado para ser prudente, Su Majestad se voraz tragó el tierno bocado y se halló firmemente atrapada por un anzuelo colocado a final de una línea. Con el labia en grillos ni siquiera podía gritar para pedir socorro.

Por suerte, el olor a Sangre Real llegó hasta el cuartel de la guardia. Los Guardias de Emergencia de su Majestad nadaron a rescatarla y cortaron la línea justamente a tiempo para salvar a la Reina de formar parte de la cena en una mesa allá arriba. Pero ¡ay! aunque eran muy expertos no podían sacar al anzuelo del labio de la Reina.

Her Majesty was soon to become violently ill.

All Big Fish of the Palace were summoned to the Throne Room where they met with the Royal Doctors. From Ladies in Waiting to Royal Clown Fish, from Palace Guards to Royal Nurse Fish, all wore solemn and worried faces as they thrashed about for a solution. No solution was found.

The tortoise was consulted last.

"I would like to tell you about my grandfather, a man of some wisdom," she said. "In a similar situation he cured my grandmother by putting a fresh hare's liver on the wound. This fine poultice not only drew forth the hook but all feverish poisons besides. She lived on happily a hundred or so more years."

Pronto Su Majestad habría de ponerse gravemente enferma.

Se convocó a todos los Grandes Peces del Palacio a la Sala del Trono, donde se reunieron con los Doctores de la Reina. De las Damas de Honor a los Bufones de la Reina; de los guardias de Palacio a las Peces Enfermeras de la Reina, todos tenían caras solemnes y preocupadas mientras se debatían en busca de una solución.

No hallaron ninguna solución.

Por último consultaron a la tortuga.

—Quisiera hablarles acerca de mi abuelo, un hombre de sabiduría—dijo esta—. En una situación similar curó a mi abuela poniéndole el hígado fresco de una liebre en la herida. Esta excelente cataplasma no solamente le sacó el anzuelo sino también todo el febril veneno y mi abuela continuó viviendo feliz unos cien años o más.

The tortoise was listened to with interest, but her story was considered useless. Fresh hare's livers are just not found in the Kingdom of the Fish.

"But I have an idea," the tortoise continued, "I have made friends with a hare up on the beach. He's somewhat cocksure and stupid—I beat him in a foot race...."

The remark was greeted by rather rude giggles.

"I beat him in a foot race," she repeated, "and I might just lure him here. Once the hare is here, with Palace doors locked behind him, I would hope the Royal Doctors would remove his miraculous liver and SAVE THE QUEEN!"

"SAVE THE QUEEN!" all fish repeated in one shout.

Escucharon a la tortuga con interés, pero consideraron su historia inútil. Simplemente, no es posible encontrar hígado fresco de liebre en el Reino de los Peces.

Pero tengo una idea—continuó la tortuga —me he hecho amiga de una liebre allá arriba en la playa. Se medio confiada y estúpida. Yo le gané en una carrera....

El comentario fue recibido con risitas más bien descorteses.

—Yo le gané una carrera—repitió—y puede ser que logre atraerla hacia aquí. Una vez que la liebre esté aquí, con las puertas del palacio cerradas trás de ella, espero que los Doctores de la Reina remuevan su milagroso hígado y ¡QUE SE SALVE LA REINA!

¡QUE SE SALVE LA REINA!—todos los peces repitieron al unísono.

"I for one," the tortoise continued, "would prefer not to watch my furry friend's operation. My sensitive nature cannot stand the sight of blood."

The Queen welcomed the suggestion and thanked the tortoise, who bowed, backed out, and swam up to the beach.

"If I succeed in saving the Queen," she said to herself, "and I *must* succeed, my career will be made. And if all goes wrong, BAH, who cares? I'm the lowest fish in the Palace as is."

—Por lo pronto—continuó la tortuga—preferiria no presenciar la operación de mi peluda amiga. Mi naturaleza sensible no puede soportar la vista de sangre.

La reina aceptó la sugerencia y le dio las gracias a la tortuga, que hizo una reverencia, se retiró, y nadó hacia la playa.

Si logro salvar a la reina—se dijo—y debo lograrlo, mi carrera estará asegurada. Y si todo sale mal ¡BAH! ¿a quién le importa? De todas formas soy el pez más inferior del Palacia.

It was the hottest of days and the fat tortoise, huffing, puffing, and sweating, dragged herself to the top of a dune where, thank goodness, she saw the hare. The hare hopped with fright, raised his ears and shyly turned to identify the intruder. Seeing the tortoise, his old seaside friend, he ran to greet her. "What good wind brings you, Miss Tortoise?" he asked.

"I've come to admire the landscape," she answered, slowly mopping her neck, "I've heard it said that your panorama of hills overlooking the ocean is a treat to the eyes. However, now that I'm here, it hardly seems worth the trip."

Era uno de los días más calurosos y la gorda tortuga resoplando, jadeando y sudando, se arrastró hasta la cima de una duna donde, gracias a los dioses, vio a la liebre. Ésta saltó atemorizada, levantó las orejas y timidamente se dio vuelta para identificar al intruso. Al ver a la tortuga, su vieja amiga de la costa, la liebre corrió a saludarla.

—¿Qué fortuna te trae, señorita Tortuga?— preguntó.

—He evenido a admirar el paisaje—contestó, la tortuga, moviendo lentamente su pescuezo— he oído decir que tu panorama de lomas con vista al mar es un placer para la vista. No obstante, ahora que estoy aquí, casi me parece que el viaje no vale la pena.

"You haven't climbed high enough, Miss Tortoise," the hare said, "follow me and I'll show you…"

"Thank you, no," said the tortoise, "I've had quite enough of your hills. I far prefer the sea, dear friend. Come see the sea, come see the beauties of the submarine world. Come see its blue-green forests, snaky grasses and exotic flowers. Come see its hills of velvet rock, its valleys and dark caves where electric fish sing and dance.

"And that's not all. Come feel how easy it is to move in water," the tortoise continued, "after all, who wants to drag over your hot, dusty, dry earth?" The tortoise turned and pretended to head back to the ocean.

No has subido suficientemente alto, señorita Tortuga—dijo la liebre—sígueme y te enseñaré…
—No, gracias—dijo la tortuga—ya he tenido bastante de tus colinas. Prefiero el mar, querida amiga. Ven a ver el mar, ven a ver las bellezas del mundo submarino. Ven a ver sus bosques azul-verdoso, sus hierbas serpenteantes y sus flores exóticas. Ven a ver sus lomas de rocas aterciopelades, sus valles y oscuras cuevas en donde peces eléctricos cantan y bailan. Y eso no es todo. Ven a sentir lo facil que es moverse en el agua—continuó la tortuga—después de todo, quién quiere arrastrarse sobre su caliente, polvorienta y seca tierra?

La tortuga se dio vueltá como si se dirigiera al océano.

The hare, burning with curiosity, followed her down in spite of himself. He didn't like going near the water. After a bit, feeling braver, he asked the tortoise, "Isn't it hard to live under water? Doesn't it get in your mouth, ears, nose, and eyes?"

"No, no, not at all. Water is the air of the sea. In no time at all you'll be used to it." The tortoise walked a little faster. She was feeling happy. She knew the hare would now follow her all the way into the deep.

"I would dearly like to visit where you live," said the hare, "but I'm not a fish, you know, and I do worry about being able to breathe…"

La liebre, ardiendo de curiosidad, la siguió a pesar de ella misma. No le gustaba acercarse al agua. Después de un rato, sintiéndose más valiente, le preguntó a la tortuga:

—¿No es defícil vivir de bajo de el agua? No se te mete en la boca, en los oídos, en la nariz, y en los ojos?

—No, no, nada de eso. El agua es el aire del mar. En nada de tiempo te acostumbraras.

La tortuga caminó un poco más rápido. Se sentía contenta. Sabía que la liebre ahora la seguiría hasta las profundidades.

—Me gustaría mucho visitar el lugar donde vives—dijo la liebre—pero no soy un pez, tú sabes, y me preocupa no poder respirar…

"Nonsense," the tortoise said, "of course you'll be able to breathe. Come visit the Kingdom of the Fish. Climb upon my back and I shall take you down. Come, you shall make me most happy."

The hare was touched by the warmness of the invitation. At the edge of the water, he found himself holding fast to the tortoise's back. The two friends slowly slipped together beneath the sea. The hare quickly got used to water and found he liked it.

—Tontehías—dijo la tortuga—por supuesto que podrás respirar. Ven, a visitar el Reino de los Peces. Subète a mi espalda y llevaré allá abajo. Vente, me harás de lo más feliz.

La liebre se sintió emocionada por la calurosa invitación. Al borde del agua, se encontró aferrándose a la espalda de la tortuga. Lentamente las dos amigas se deslizaron juntas por debajo del mar. La liebre se acostumbró rápidamente al agua y se dio cuenta de que le gustaba.

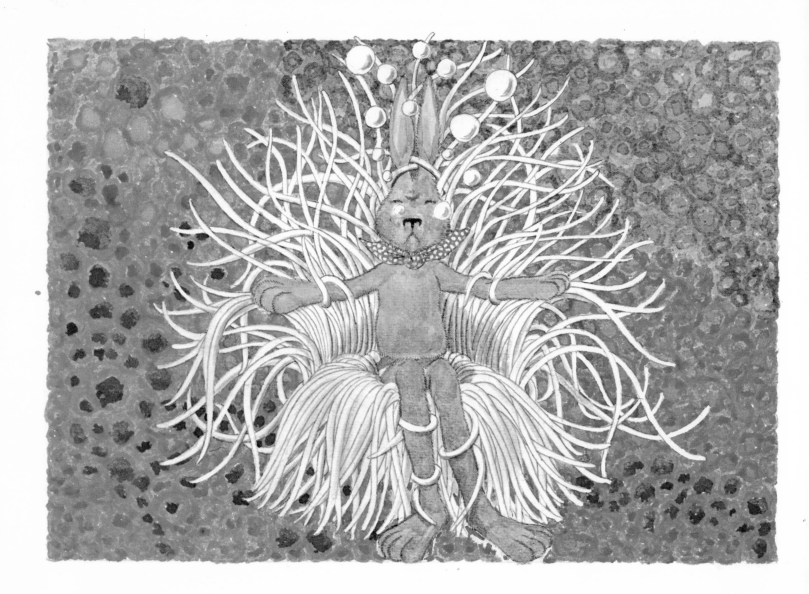

The Palace Guards greeted the two at the Palace, and the hare was escorted to the Queen's Chamber. He was asked to take a seat in what he thought was a cozy couch of seaweed. The couch turned out to be a terrible sea animal with many slithery arms which grabbed the hare and held him prisoner by his ears and legs. While he struggled to get loose, the Royal Doctors were swimming nearby with the Royal Nurse Fish discussing the fastest way of chopping out a hare's liver.

Horrified, he asked a Royal Clown Fish floating overhead if what he overheard were true.

Las Guardias del Palacio las recibió a las dos en el Palacio y se escoltó a la liebre hasta la Cámara de la Reina. Se le pidió que tomara asiento en lo que ésta consideró un cómodo sofá de algas marinas. El sofá resultó ser un terrible animal marino con muchos brazos resbaladizos, el cual atrapó a la liebre por las patas y las orejas, haciéndola prisionera. Mientras la liebre trataba de liberarse, los Doctores de la Reina nadaban a su alrededor con las Peces Enfermeras de la Reina, discutiendo cuál era la forma más rápida de arrancarle el hígado a una liebre.

Horrorizada, la liebre preguntó a un Bufón de la Reina, que flotaba por arriba, si era cierto lo que oía.

"Alas, yes," said the Clown Fish, "that's the plot. But, your liver won't be wasted. It's to be used to cure our pretty Queen's swollen upper lip. You must think of the honor above all."

The poor hare shook with fright. He could think of just one thing, whether or not he'd live to see another day.

"Heaven helps those who help themselves," he mumbled to himself, "and if I'm to save my life, I must talk fast."

He thought fast, and with his loudest voice, accented with bubbles, shouted to the Royal Fish who were now up close, staring straight at his liver, "Ladies and Gentlemen, a hare's liver is a hare's most precious possession. It is like a glass eye in that we can take it out of our bodies and put it back again. It is so precious to us, and so expensive to buy any-place on earth that we do not take it with us wherever we go. For example, I was afraid

—¡Ay!, sí—dijo el Pez Bufón—ese es el com-plot. Pero tu hígado no se desperdiciará. Se usará para curar el hinchado labio superior de nuestra linda Reina. Por sobre todo debes pen-sar en el honor.

La pobre liebre temblaba de miedo. Sólo podía pensar en una cosa: si viviría o no, para ver la luz de un nuevo día.

—Dios ayuda a los que se saben ayudar—se dijo a sí misma—y, si he de salvar mi vida, debo hablar rápido.

Pensó rapidamente y, con su voz más potente, acentuada con burbujas, les gritó a los Peces de la Reina, los cuales ya estaban muy cerca, mirando fijamente en dirección a su hígado:

—Señoras y Señores, el hígado de una liebre es su posesión más preciada. Es como un ojo de vidrio que podemos sacar de nuestro cuerpo y volverlo a poner. Es tan precioso para nosotros y tan caro comprarlo en cualquier lugar de la tierra que no lo llevamos con noso-

I'd get mine wet here below, so I left it above, safe in a dry rock cave. I then climbed on my friend the tortoise's back and came to visit you. However," he continued, "precious as my liver is to me, and expensive as it is to buy anywhere on earth, I can think of no finer use for it than to save Her Majesty's lip and life. I am a shy, lowly animal who hops around on the dry earth above, and I would feel greatly honored if I could help in an operation of this historic importance. With Her Majesty's permission, I shall jump back on the tortoise's back and rush up to find my liver in its dry rock cave."

The Royal Doctors were pleased with the hare's good manners. They blushed at the thought of having kidnaped him so heartlessly when a formal request for help would have worked so much better. The tortoise was called forth, severely scolded, and ordered to take the guest of honor back up to the dry rock cave.

tros a cualquier lugar que vayamos. Por ejemplo, yo temía que el mío se me mojara aquí abajo, así que lo dejé allá arriba, a seguro, en una seca cueva en las rocas. Después me encaramé sobre la espalda de mi amiga la tortuga y vine a visitarlos. No obstante —continuó— tan precioso como es el hígado para mí, y caro como es comprarlo en cualquier lugar de la tierra, no puedo pensar en un mejor uso para él que para salvar el labio y la vida de Su Majestad. Soy un tímido y bajo animal que anda saltando por la tierra seca de allá arriba y me sentiría muy honrado si pudiera ayudar en una operación de esta importancia histórica.

Los Doctores de la Reina quedaron satisfechos con los buenos modales de la liebre. Se sonrojaron al pensar que la habían secuestrado de manera tan cruel cuando una petición oficial de ayuda hubiera logrado mucho mejor efecto. Llamaron a la tortuga, la regañaron severamente y le ordenaron llevar al invitado de honor de regreso a la seca cueva rocosa.

When they reached the beach, the hare jumped off the tortoise's back, shook water off his own back, and ran as only rabbits can to a high dry spot on a rock. There he spoke to the tortoise in a voice loud and ungargled.

"I have but one liver and it is right here in me. I shall never willingly part with it, even for the pretty lips of a fair Queen."

It was a brief speech.

He bowed, then put more distance between himself and his friend the tortoise. Since then, he has avoided the tortoise.

Cuando llegaron a la playa, la liebre saltó de la espalda de la tortuga, se sacudió el agua que tenía en la espalda y corrió como sólo los conejos pueden hacerlo hacia un punto de una roca alta y seca. Desde allí le habló a la tortuga en voz alta y clara.

—Tengo solamente un hígado y está aquí mismo, dentro de mí. Nunca permitiré que me despojen de él, ni siquiera por los bellos labios de una hermosa Reina.

Fue un discurso breve.

Hizo una reverencia y se alejó más de su amiga la tortuga. Desde entonces ha esquivado a la tortuga.